Llyfr

_____

_____

yw hwn

I Nicholas a'i dad, Justin.
C.F.

Cyhoeddwyd gan Gymdeithas Lyfrau Ceredigion Gyf.,
Ystafell B5, Y Coleg Diwinyddol Unedig, Stryd y Brenin,
Aberystwyth, Ceredigion SY23 2LT
Argraffiad Cymraeg cyntaf: Ebrill 2003
Hawlfraint Cymraeg: Cymdeithas Lyfrau Ceredigion Gyf. © 2003
Addasiad: Gwen Angharad Jones a Dylan Williams
Cedwir pob hawl.
Teitl gwreiddiol: *My Dad!*
Cyhoeddwyd gyntaf yn 2003 gan Gullane Children's Books,
Winchester House, 259-269 Old Marylebone Road,
London NW1 5XJ

ISBN 1-902416-87-2

Testun a lluniau © Charles Fuge 2003

Y mae hawl Charles Fuge i'w gydnabod fel
Awdur a Darlunydd y llyfr hwn wedi ei nodi ganddo yn unol â
Deddf Hawlfraint, Dylunwaith a Phatentau, 1988.

Argraffwyd a rhwymwyd yn China

FY NHAD!

Charles Fuge

CYMDEITHAS LYFRAU CEREDIGION GYF

**Fy nhad i ydi'r
tad mwyaf, cryfaf,
dewraf a chaletaf
yn y jyngl i gyd.**

Mae o cyn gryfed . . .

. . . ag **eliffant!**

Mae ganddo fwy o grafangau
nag **eryr!**

Mae ei ddannedd
yn finiocach na dannedd
crocodeil!

Ac mae'n gallu
rhuo'n uwch na **llew!**

Ac mae o cyn . . .

daled â . . .

. . . ble mae pawb

. . . wedi mynd?

Dad!